일상과 간격

그리고

기도와 감사

- 다둥이 아빠들의 육아 이야기 3

일상과 간격 그리고 기도와 감사- 다둥이 아빠들의 육아 이야기 3

지은이 **정영빈, 김화랑**

발 행 | 2024년 2월 16일
저 자 | 정영빈, 김화랑
펴낸이 | 한건희
펴낸곳 | 주식회사 부크크
출판사등록 | 2014.07.15.(제2014-16호)
주 소 | 서울특별시 금천구 가산디지털1로 119 SK트윈타워 A동 305호
전 화 | 1670-8316
이메일 | info@bookk.co.kr

ISBN 979-11-410-7002-1

www.bookk.co.kr

일상과 간격
그리고
기도와 감사

- 다둥이 아빠들의 육아 이야기 3

정영빈, 김화랑

차례

책을 열어요

올해도 여지없이 한 살을 더 먹으면서, 나잇값을 하느라 지켜야 할 것들이 한 단계씩 무거워졌다. 가정과 건강, 소유와 자리. 그 중에서도 가장 지키고 싶었던 것 두 가지는 '일상'과 '간격'이었다.

놔두면 저절로 굴러가는 쇠공같아 보이는 일상이지만, 사실은 절벽 끝에 걸린 유리공같은 것이라- 작은 바람에도 흔들리기 일쑤였다. 첫째의 가정통신문을 빠뜨리지 않는 일상, 둘째의 등하원 버스를 놓치지 않는 일상, 막내의 해열제가 동나지 않는 일상.

그리고 또 하나, 간격. 밖에서 묻어온 근심과 불만이 안에 옮지 않는 간격, 내 물건 건들지 말라는 아이의 말에 서운하지 않는 간격, 하루 끝자리에서 오늘도 '다 져버렸'다는 무력감에 눌리지 않는 간격.

내가, 지금, 여기서. 이 글을 적고 있다는 것은. 그 둘을 지키는 싸움에서, 적어도 꽁무니를 빼고 도망치진 않았다는 뜻이기도 하다.

합계 출산율 0.6명의 시대에서. 점점 불안해지는 이 땅에서.

용기와 희망을 잃지 않고 아이들을 달래고 위로하고 기도하다 잠드는. 이 땅의 모든 엄마와 아빠, 그리고 보호자들을 응원합니다.

-'제1화 우리 엄마, 공효진'을 맡은 정영빈이 쓰다

제1화 우리 엄마, 공효진

정영빈

1월

딸의 등을 긁으며

등 긁어주시던 손
밋밋하고 적적해
시원치가 않았지

왜 그 손이었는지
미적지근 했는지
딸의 등을 긁으며

그 손이 되어
뭉뚝하고 답답한
옛 손이 되어

어젯밤, 등이 가렵다는 딸의 등을 긁으며, 어릴 적 어머니가 긁어주시던 등을 생각했다.
그 손, 참 미적지근한 것이- 가끔은 되려 긁어주실수록 가렵기도 한 것이-
근데 결혼 후에 아내가 긁어주는 등은 한 결에 정신이 번쩍들만큼- 시원하다 못해 눈물 나더라.

오늘, 딸의 등을 긁어주면서 알았다.
그 때, 그 손이 왜 그렇게 미적지근했는지.
이 작고 연한 등,
긁어줄 데가 없다.
긁어줄 수가 없다.

1월

마음 후벼파기

쉽게 찌르면

깊게 저미지

오래 패이지

과일을 깎으며, 아무 생각없이, 푹-찌르다 움푹 패인 과육을 내려다 보며,
아이들을 나무라는 일에 대해 생각해 보았다.

아무 생각없이, 그 마음들을 푹-찌르고 나면
그 여린 마음들이 깊고 아프게 저며지겠지.
저며진 그 마음들, 오래오래 패여있겠지.

2월

커피 우유, 플러스 원

커피 한 팩에

감사합니다

커피 두 팩에

사탕합니다

플러스 원에

… 미안합니다

가끔 아내랑 다툴 때가 있다. 여러 가지 이유로.
맺힌 마음이 풀어지고, 풀어진 사이로 말들이 새어나올 때
새어나온 말들이 혀끝까지 흘러내려와도, 차마 그 말을 전하지 못할 때.
나는 편의점에 가서 아내가 즐겨먹는 커피 우유를 산다.
한 팩에 한 마디씩, 하기 쉬운 말부터.
그리고 플러스 원에- 가장 하기 어려운 말을 담아서.

2월

잠든 니 얼굴

아직 보고 싶은데

이젠 보지 말라니

이리 보는 수밖에

아기를 돌보는 건 고되고 지치는 일이지만-

한 가지 좋은 점을 꼽으라면,

그 시절엔 얼굴 정면을 뚫어지게 쳐다봐도, 저도 뚫어져라 마주 볼 뿐

요 눈은 어째 이리 작은지, 요 코는 어째 이리 오똑한지, 요 입 속의 이는 얼만큼 자랐는지

집 안에 걸어놓은 그림처럼 마음껏 구경할 수 있었는데-

두 돌이 다 돼가는 이 시점에 다다라선,

지 얼굴 좀 볼라치면, 내 얼굴을 쳐버리며 고개를 홱 돌려버린다.

아직 좀더 보고 싶은데. 이제는 안 된다고 하니

이렇게- 잠든 얼굴이나마 오래오래 가득가득 눈에 담을 수밖에.

3월 ___________

엄마가 아픈 날

네가 아픈 날

난 너에게로

내가 아픈 날

넌 나에게서

소화가 되지 않아, 체한 아내가 바늘로 손을 땄다.

근데, 유달리 그런 걸 못 보고 못 견디는 아들이

엄마, 하지 말라고. 보기 싫다고. 저리 가라고. 저쪽 가서 찌르라고 버럭버럭 소리를 지른다.

니가 아플 땐 엄마가 항상 곁에서 널 돌봐주고 먹여주고 닦아주는데.

엄마가 아플 땐- 그렇구나.

3월

사랑은, 내리사랑

썽그런 내 동생 발

조몰락 조몰락

따끈한 동생 오줌

쪼로록 쪼로록

역시

사랑은 내리사랑

졸졸졸 졸졸졸

언니가 열 나는 막내의 발을 주물러주고 있다.

아직 애인 줄 알았던 첫째가, 막내를 간호하고 기저귀를 갈아주는 걸 보면서.

사랑은 역시 내리사랑.

3월 ___________

짐, 짐, 짐

달라 붙은 감기에
애들 약 한 짐

다시 먹일 생각에
걱정이 두 짐

다음 한 주 예보에
원망이 세 짐

아이가 셋쯤 되다 보니, 감기약을 받아도 한짐이다.
이 약들을 아침, 점심, 저녁에 일일이 용량을 맞춰 먹이는 것도 일이지만
약을 안 먹겠다고 도망치고 입을 막는 막내를 설득하는 것도 고된 일.
그런데, 다음 주도 여전히 쌀쌀하다고 하네.
언제쯤, 자기 약은 자기가 찾아먹을까.

4월

똥칠된 주말

꼭꼭 숨기고
꾹꾹 참아도
킁킁 풍기는

이놈 똥방구
이놈 똥팬티
이놈 똥감기

똥으로 칠한
꽃피는 주말

항생제를 먹었더니
어쩔 도리없이, 계속 팬티에 똥을 지리는 둘째.
돌아서면 똥방구, 자리 앉으면 똥방구에
엉덩이도, 팬티도 남아나질 않는다.
이번 주말은 온통 똥칠이다.

4월

천하장사 막내

막내 딸
천하장사 먹고서

아닌 밤
부모가 천하장사

배가 고팠던지, 자기 직전에 천하장사 소시지를 마구마구 까먹던 막내.
속이 더부룩했던지, 한밤에 먹었던 걸 모조리 침대 위에 쏟아냈다.
문자 그대로, 일야삼토(一夜三吐)하기.
아내와 나는 하룻밤 동안에 침대 시트를 세 번이나 교체하는 기염을 토(吐)했다.
천하장사는 막내가 먹었는데
엄마 아빠가 천하장사 만만세.

5월

처참한 오월

이월이 행복한 건
끊어진 감기때문

삼월이 불행한 건
돌아온 감기때문

사월이 잔인한 건
이어진 감기때문

오월이 처참한 건
쭉가는 감기때문

T.S 엘리엇이, 4월이 잔인하다더라.
우리 부부에게 잔인한 달은 언제인가-
겨울방학 중엔 건강하던 아이들이
3월, 새학기 시작되면서 감기도 시작되고
4월, 5월에까지 끊일 날이 없다.
5월은- 잔인하다 못해 참혹하고 처참하다.

5월

나도 좀 봐 주라

이마만 쓸어줬더니

손발만 잡아줬더니

뾰족뾰족 화가 나

뾰족뾰족 뾰루지

혓바닥에 뾰루지

막내의 혓바닥에서 눈에 띈 좁쌀 한 알.

아- 모를래야 모를 수 없는 저 광경. 구내염시작.

이제껏 감기만 돌봐줬더니, 이마랑 손발만 잡아줬더니

자기도 여깄다며. 안 봐줘서 삐졌다며

혓바닥이 삐죽빼죽 화를 내니

야, 너네들 진짜 우리한테 왜 이러니

5월

사랑받을 만하다

밥 안 먹는 널 보니
쓴약 뱉는 널 보니
생떼쓰는 널 보니

과연 내 아들,
사랑받을 만하다

감기의
구내염의
엄마 아빠의

사랑받을 만하다

막내에게 옮은 둘째의 구내염.
약을 먹이기도, 발릴라 치면 난리, 난리, 생난리가 난다.
그래, 이렇게 투정부리고 떼 쓰니까
엄마, 아빠가 널 사랑하며 감싸주는 거지.
하긴, 이렇게 투정부리고 떼 쓰니까
구내염이랑 감기가 널 사랑하고 붙어있는 거지.
사랑받을 만하다, 우리 아들.

5월

하루종일 첫걸음

천릿길도 첫걸음

해뜬아침 첫걸음

한밤중에 첫걸음

하루종일 첫걸음

다시, 제자리걸음

아이를 기르다 보면, 아이가 딛는 첫걸음 순간이 감격스럽다.
이제 제 다리 힘으로 세상을 디뎌가는 모습이 대견하고,
나란한 걸음으로 함께 걸어다닐 생각에 두근거리기도 하고.
그치만, 결국, 육아란 항상 첫걸음.
결국, 했던 일을 매일매일 지치지 않고 매일 첫걸음 딛는 일.
아침에 눈을 뜬 순간부터
한밤에 눈 감는 순간까지
하루종일 첫걸음을 제자리걸음처럼 디뎌가는 일.
지치지 않고 걸어가야 하는 일.

5월

수박 보시

수박이 왔어요

발그레 달아올라
시린 맘을 덥히는

까맣게 박힌 씨앗
눈물을 품고 사는

따끈하고 시원해
갈라진 맘 채우는

수박이 왔어요

온몸으로 자식을 감싸 안은 채, 벌겋게 달아올라서는
속이 불타오르는 양, 눈물 흘리는 양 익어가는 모양새가,
수박은 아이를 기르는 모습과 닮은 구석이 있다.
아내의 직장 동료가 수박을 선물해주셨다.
그 집, 애 셋이라며. 엄마 아빠는 과일 챙겨먹지도 못하겠네.
이거 갖고 가서 애들도 먹이고, 엄마 아빠도 들라시며.
그 수박, 참 시원하더라. 그 마음, 참 따끈하더라.

5월

지구 평면설

평평한 하루

아침은 평평하고
소리는 평평하다

걸음도 평평하고
베개도 평평하다

나의 오늘은
나의 지구는
팽팽히 평평하다

자식 기르는 집에서 가장 중요한 것은 '평평'이다.
뻔해 보이는 일상과 한없이 늘어지는 안정으로
그 평평한 저울침을 맞춰두기 위해서-
엄마 아빠의 삶은 매일, 매순간 외줄에 선 것처럼 '팽팽'하다.
평평한 등교, 등원시간을 맞추기 위해 팽팽해지고
평평한 하교, 하원시간을 맞추기 위해 팽팽해지고
평평한 잠자리를 지키기 위해, 우린, 늘, 항상 팽팽하다.

5월

정성 맛집

순번 뽑아 줄서는
소문난 사랑 맛집

손길이 내려앉고
눈길이 머무는 곳

위로받고 싶을 때
안겨 울고 싶을 때

온기로 밤을 밝히고
눈물로 밤을 피우는

소문난 간호 맛집

한밤에 일어나, 애들의 체온을 재고 해열제 먹이고 미지근한 물로 몸을 닦이다가
끊어진 잠, 어떻게든 이어붙여 보려고 새벽녘에 다시 누우면
가끔 그런 생각이 든다.
우리 애들은 왜 이렇게 자주 감기에 걸리는 건가.
혹시, 세균들 사이에서, 우리 집이 간호 맛집이라고 소문난 거 아닐까.
평소에 멸시받고 외면받는 우리 세균이라도
저 집에 가면 정성껏 간호받고 돌봄 받는다더라-
라면서 줄서서 기다리고 있는 거 아닐까- 싶을 때가 있다.
잠이 모자란가 보다. 그냥 자자.

5월

불멍

모닥불 바라보며

지난날 떠올리며 멍

앞날을 생각하며 멍멍

난생처음, 불멍이란 걸 해 봤다.

타닥타닥 모닥불을 멍하게 보고 있으려니,

이제껏 지나온 날들이 떠올라 멍-해지고

앞으로 헤쳐갈 날들은 어쩌나 생각하니

한없이, 끝없이, 멍-멍-하고 먹-먹-하게 만드는

마법의 모닥불.

5월

반짝반짝 하루 끝자리

하늘 위에 별자리

하늘 아래 별소리

하루 끝자리 속에

별에 별생각 소리

가끔, 한밤, 나의 별같은 아이들을 재우다 보면
평소엔 듣지 못하는 별에 별소리를 들을 때가 있다.
뜬금없이 엄마아빠 사랑한다거나, 뜬금없이 행복했다거나, 뜬금없이 내일 아침 붕어빵 먹고 싶다거나
재울 땐- 알겠으니까, 입 닫고 자라-며 다그치지만.
정작, 내가 자려고 누우면- 아까 들었던 그 얘기들이 별처럼 떠올라서,
별별 생각에 잠 못 들고, 하늘의 별을 헤아리는 심정으로 잠을 설칠 때가 있더라.

5월

마음의 붕대

붕대를 찾습니다

너의 아픈 마음 싸매줄
널따란 붕대를 찾습니다

내가 쓰리고 아픈 건 어떻게든 참아도
니가 참느라 아픈 건 아무래도 못 참지요

거기 마주 섰거라
내가 니 붕대가 되어
너를 품에 안아주마

꼬옥 껴안아주마

다짜고짜, 아이가 엄마에게 붕대의 행방을 물으러 왔다.
그 붕대, 어디에 쓸 거냐고 물었더니-
마음이 아프다-고 대답했다 한다.
그래서, 애들 엄마가 아이를 꼭 껴안아 주면서,
마음이 아플 때는 이렇게 해주는 거라며. 이게 마음의 붕대라고 답해줬다 한다.
근데, 니가 마음 아플 일이 뭐가 있니. 왜, 또, 누가, 버스에서 니 발 밟든?

6월

열받는 밤

어딘가 열린 틈 사이로
길을 잃은 열이 들었다

너는 열에 달떴고
나는 열에 받쳤다

열불나는 오늘 밤,
우린 열을 받았다

아이들이 열나는 밤은
나한테도 열받는 밤이지.
그렇게 조심하고 노력했는데도
이놈의 열이 대체 어느 틈으로 들어왔나
그렇게 철통처럼 막는다고 막았는데
우리의 주의가. 우리의 경계가.
대체 어느 틈에서 부족했던 걸까.

6월

속타는 군밤 장수

애가 타는 밤

밤새 타는 밤

나는 오늘 밤

속타는 군밤 장수

지난 저녁.

두살배기 오촌조카가 열경련을 했다는 이야기를 들었다.

안 겪어본 부모는 절대 모르고

처음 겪어본 부모는 절대 침착할 수가 없다.

아마, 그 아빠는 밤새 그 밤톨같은 이마를 짚으며

떨어지지 않는 열에 애태웠겠지.

뜨거운 밤톨을 보면서 속이 타들어가는 군밤장수의 마음이었겠지.

6월

튀김옷은 사랑입니다

튀김에 대해서 논하자면
신발 튀김도 맛있다더니

돈까스와 치킨은
너네들이 먹으렴

엄마아빠 맛난 튀김 먹으련다
돈까스맛 튀김과 치킨맛 튀김

튀김가루는
사랑입니다

주말이라 밥을 차리기 귀찮았던 우리 부부는 돈까스와 치킨을 주문해서 애들을 먹이기로 결정했다.
원래부터 만만찮았던 첫째와
질세라 따라붙는 둘째와
최근에 합세한 셋째가 몰려드니
금세 돈까스 튀김옷, 치킨 튀김옷만 남았다.
아내와 사이좋게 튀김옷을 나눠먹으면서도
역시 튀김가루는 사랑이더라.
사랑도 튀기니까 맛은 있더라.
역시, 튀김, 짱.

6월

코로나의 종착지

나는

네놈의

경유지가 아니라

마지막 종착지다

나는 엄마다

애들 엄마가 코로나에 걸렸다.
두줄을 확인한 순간, 그의 머릿속에 가장 먼저 스친 생각.
이놈을 내 몸속에 가둬야겠다.
절대 애들에게 옮겨가지 못하게 해야겠다-였다 한다.
그때부터 처절한 발목잡기를 시작했고
결국, 그는 그놈의 발목을 끝까지 놓치지 않았다.
바이러스 놈의 입장에서야 그의 몸을 경유지쯤으로 생각했겠지만,
엄마인 그로서는 그럴 마음이 전혀 없었다.
내 몸이 니 무덤이다. 여기가 니 종착지다.

6월

Farewell, my planet

이 별

나를 감싸던
나를 붙잡던

항상 포근했지만
가끔 놓이고 싶던

이 별
나의 별
나의 커다란 이 별

이제는 이별

사촌 여동생의 결혼식날.
가족이란 별은, 내가 태어나서 자라온 별. 한때 내 삶의 가장 커다란 별.
나를 가장 잘 알고, 나도 가장 편안한 별이지만
가끔은 벗어나고 싶고, 놓여지고 싶고, 감춰지고 싶은.
안녕 나의 별.
이제는 이별할, 가끔은 그리울 그 시절들도 안녕.

6월

포장된 부모

모두 곤히 잠든 밤

포장을 잠시 나와

오늘도 기워보자
하루 더 때워보자

가끔씩 숨막혀도
그러다 속터져도

아직까진 할만해
하루 더 참을만해

내일 다시 만날땐
누덕 덕지 포장 쏙!

부모가 돼서 가장 힘들 때 중 하나는- 슬퍼도, 화나도, 넘어지고 싶어도, 울고 싶어도
그 순간을, 그 감정을 그대로 드러낼 수 없을 때.
애들이 잠들기 전까지는 멀쩡하고 아무렇지 않고 여느 때와 같은 척하다-
애들이 잠든 후에야 비로소 소파에 걸터 앉아, 잠시 온몸을 감쌌던 포장지를 벗고
터져나올 뻔했던 그 생채기들을 바늘로 기워가면서
오늘도 깊어가는 밤.
내일을 위해 다시 포장지 속으로.

7월

우린 서로 모른다

오늘 우리 문제는

나는 너를
너는 나를
서롤 모른다는 걸

여기까지 몰랐던 것
이때까지 몰랐던 것

이리도 모른다는 걸
이제와서 알았단 것

둘째의 열이 하루종일 떨어지지 않아, 살살 꾀어 병원에 도착한 것까진 좋았는데.
아들은 설마 아빠가 주사로 속일 줄을 몰랐고,
아빠는 설마 아들과 병원에서 술래잡기할 줄을 몰랐지.
이리저리 도망치고 대치하다, 결국 아빠 손에 잡혀 엉덩이 해열주사를 맞기까지.
아, 우린 아직도 진짜로 서로의 생각과 심정을 모르는구나.
우리, 서로에 대해 좀더 알아가기로 해.
근데- 오늘, 아빠는 병원에서 진짜 창피하더라.

7월

혹부리 부부

부를수록 가벼워지고

불릴수록 무거워지는

엄마

혹

아빠

자승

혹

자박

자승(自繩)- 내가 만든 '새끼'줄 / 자박(自縛)- 내가 나를 묶다

엄마 아빠.

참 소중한 호칭이긴한데

처음에 들었을 땐 그 자체만으로 감동적이었는데

그렇게 계속 부르다 보면-

애들은 엄마 아빠를 아주 당연하게 부른다. 그냥 지들이 하면 되는 것도 일단 부르고 본다.

그렇게 계속 불리다보면-

어느 순간, 짜증이 난다.

그리고 지금, 내가, '나'가 아닌 '엄마' '아빠'란 것을 한 번 더 실감하게 되고.

내가 만든 이 '새끼'줄, 이 인연의 끈과 얽혀있는 존재란 점을 떠올리게 되고.

이거,

자승자박인가- 싶은 생각에까지 닿게 되는 것이다.

무려, 그 짧은 순간에.

7월

귓구멍, 말구멍, 혼구멍

말할 줄 알게 되니
말 들을 줄을 몰라

귓구멍과 말구멍
이제 다 뚫렸으니
조만간 뚫어주마

큼지막한 혼구멍

막내가 말을 알아듣고, 말을 하게 되면서
어쩜 이리도 분명하게, 명확하게, 오해의 소지조차 없게 거절하는 말들만 늘어놓는지.

안 입을래, 안 먹을래, 안 누울래, 안 신을래
주기 싫어, 가기 싫어, 타기 싫어, 자기 싫어

자, 귓구멍이랑 말구멍 다 열렸으니
이제 혼구멍은 조만간 이 애비가 뚫어주마.

8월

잠 좀 자자

동동 동대문도
남남 남대문도
문을 닫는 밤

느릿느릿 너의 잠
바로 뒤에
빵빵대는 나의 잠

꿈속은 왕복 10차선
거기까진 편도 1차선

그런 날이 있다.
온몸이 솜처럼 무거운 날.
어떻게든 눕고 싶은 날.
눕자마자 의식을 잃고 싶은 날.
꼭 그런 날엔
물에 빠진 소금 당나귀처럼
세상에 나온 빨간 구두처럼
첫째, 셋째를 눕혀 놓으면 둘째가 물마시러가고
둘째, 셋째를 이불 덮어 놓으면 첫째 화장실가고
셋째 나서면 잡아오겠다며 첫째 둘째 문을 박차고
너무 잠이 오는데.
눈만 감으면 바로 꿈열차 탈 수 있을 거 같은데.
그 꿈 정거장까지 가는 게 어렵다.

8월

케이크 한 조각

상자 속의 케이크
케이크 속의 조각

친구야,

조각만 먹지 말고
케이크도 먹으렴

한 조각 담긴
그의 온 마음

잘 받았다
잘 닿았다
참 잘 먹었다

작년의 '조각 케이크' 시를 읽고서
주변 친구와 동료가 케이크를 선물해주셨다.
부스러기만 먹지 말고
너를 위해서. 너희들만을 위해서 한 조각 먹으라고.
그 마음, 잘 받았습니다.
비록 한 숟갈밖에 못 뜨고
또 고스란히, 눈 뜨고 헌납당했지만.
그대들의 따뜻한 마음, 덕분에 오래 따뜻했습니다.

8월

알아서 받는 위로

모를 수도 있었던
몰라도 괜찮았을
몰랐다면 좋았을

이 많고 많은 것들
이제 와 알고 보니

모르는 자는 복이 있나니
평안이 저희의 것임이요

허나-

아는 자는 복이 있나니
애통이 저희의 것임니라

위로가 저들의 것임이라

세 아이의 약을 먹이면서, 나와 아내가 감기약 성분을 줄줄이 꿰며 대화를 주고받는 걸 보면서.
문득, 우리가 어쩌다 이런 것들을 알게 됐나- 이런 거 모를 때는 어떻게 살았나- 하는 생각이 들었다. 밥 먹이는 법, 재우는 법, 어르고 달래는 법, 똥오줌 씻기는 법, 약먹이는 법-
이런 걸 몰랐을 때도 멀쩡히, 어른이랍시고 당당히 살아 왔다는 사실이 가끔 믿겨지지 않는다.

9월

아들의 바다

저 하늘이 너의 바다라면

아침해 떠오를 때 찰랑
솜구름 피어날 때 또 찰랑
붉은놀 타오를 때 다시 찰랑

그 바다 종일 찰랑대겠네
저 하늘 품은 너의 마음도

찰랑찰랑 퍼져가겠네
넘실넘실 파도치겠네

돌아오는 차 안에서 하늘을 보던 아들이 말했다.
하늘은 바다 같아. 구름은 솜사탕 같아.
저 하늘이 니 마음속의 바다라면
하루종일 니 마음처럼 찰랑찰랑 촐랑촐랑대겠네.

10월

우리 엄마, 강강술래

진주 강씨 승지공파 23대손
우리 엄마, 강 엄마

어제, 오늘, 내일도 술래
가위 바위 보 없는 술래
술래 술래 강 엄마

코롱코롱 한밤에 발딱 일어나서 이마 짚는 술래
소파 틈새서 빠졌다 징징대는 키링 꺼내는 술래
코끝에 대롱대는 콧물 쓰으으읍 빨아내는 술래
짹짹 벌려대는 조동아리 허겁지겁 채우는 술래

어제 오늘 강 술래
내일도 그 모레도
빙글빙글 강강술래

아들은 가끔 강씨 성을 가진 엄마를 줄여서 '강엄마'로 부른다.
부모로 산다는 건, 평생 자식들의 술래로 사는 일. 술래는 게임에 매인 존재.
마음대로 뛰어다니며 숨거나 도망치는 이들의 뒤를 쫓아다녀야 하는 술래.
열 나는지 살펴야 하고, 잃은 물건 찾아줘야 하고, 배 곯지 않게 해줘야 하고
틈틈이 콧물을 빼줘야 하는 술래.
남들은 하기 싫어하는 일을 도맡아해야 하는 존재
맨날천날 하루종일 술래.

10월

우리 집 스핑크스

이것은 무엇인가

아침엔 꾸물꾸물하고
점심엔 촐랑촐랑하며
한밤엔 찡얼찡얼하여

아침엔 업어 주고
점심엔 손을 잡고
한밤엔 안고 가는

이것은 무엇인가

너는 내게 무엇인가

<카카오 프렌즈 이집트 편>을 보고 알게 된 스핑크스의 수수께끼에 신이 난 아들.
어딜가나 그 수수께끼를 얘길하며 기뻐하는 아들.
너도 내게 스핑크스.
아침엔 유치원 갈 준비 안하고 꾸물대는
점심엔 한없이 까불대고 촐랑촐랑대는
한밤엔 덜 놀았다며 잠 자지 않겠노라 징징대는
니가 나한텐 스핑크스
너, 대체 뭐하는 아들이냐.

10월

꿀처럼 달아서 쓰라린 밤

잠이 풀린 밤

맘도 풀린 밤

제일 작은 우리 막내가

제일 높이 닿을 때까지

그 밤 참 맛나더라

꿈에 살살 녹더라

그게

그렇게

미안터라

쓰라리더라

며칠째 이어진 한밤 간호로

하필 정신없이 곯아떨어져 꿀맛같은 잠을 잔 날.

문득 눈 떠보니, 막내의 온몸이 끝간데 없이 오르고 올라

우리 중 누구도 닿은 적 없던 40.3도에 다다랐다.

이 지경이 될 동안- 내가 꿀잠 잤단 게, 세상 모르고 잤단 게

두고두고 미안하더라.

약 먹이고 몸 닦이고 부채 부쳐주면서- 날 샐 때까지 미안하더라.

11월

아빠와 별

어제는 반보 빨랐고
오늘은 반보 늦었다

너랑 손을 잡은 채
너와 같이 걸으며
너의 맘에 닿는 게

뜨곤 있으나
보진 못하는
그런 눈이다

초롱초롱 빛나나
아스라이 떠있는
하늘 위의 별이다

이제 언니 오빠 따라서 곧잘 뛰어다니고 킥보드도 타는 막내.
이제 킥보드를 잡아주려하거나 손 잡아주려하면 됐다며, 나 혼자 하겠다며 손사래를 치는데.
오늘은 그렇게 자기 혼자 킥보드를 즐기다 넘어져서 이마가 까졌다.
그래놓곤 왜 자기 손을 잡아주지 않았느냐며 서럽게 운다.
난 도통 니 마음을 모르겠다. 널 보고 있긴 한데,
세상 누구보다 소중하게 초롱초롱한 눈으로 네게서 시선을 떼지 않고 있긴 한데.
하긴, 저 하늘 위의 별도 그렇지.
초롱초롱하게 보고만 있긴 하지.

11월

우주처럼 숨막히는 밤

숨 막히는 밤
기가 차는 밤

꿈 좀 나눠줍쇼
꾸러 다니다가

패대기쳐진 밤
튕겨서나온 밤

이게 내 삶이다
이게 내 밤이다

아-아득한 이 밤이
우주같은 이 밤이

아이들이 생긴 후, 늘 반쯤 깬 상태로 잔다.
그러다 아이들의 잠꼬대나 이 가는 소리에 잠을 깨곤 하는데,
이날은 그 중에서도 최악- 아이의 코가 막힌 날이었다.
숨을 못 쉬겠다며, 잠을 못 자겠다며 아우성치는 아이 곁에서,
나도 선잠으로 밤을 샜다.
이런 밤은 참 길다. 영원처럼 길다.
그리고 '사람으로 사는 일'에 대해 심각하고도 어렴풋하게 생각해보게 된다.
나는 왜 사나.

11월

천하장사, 내 아들

이토록 무거운 말덩이를
그토록 가볍게 올려주는

천하장사 내 아들
천근만근 내 마음

유치원 학부모 참여수업에 못 오는 엄마에게,
너무너무 섭섭해서 울고 싶었던 옆집 아이가 엄마에게 소리쳤단다.
엄마는, 왜 엄마 생각만 해?
엄마는, 왜 내 생각은 안 해?- 라고.

그 말을 들은 아이의 엄마는 하루종일 얼마나 마음이 무거웠을까.
그리고
그렇게 무거운 말을, 번쩍 들어 엄마 맘에 털썩 올려놓는 그 아들이
얼마나 뿌듯하고 애틋했을까.

11월

우리 엄마, 공효진

믿을 수가 없지만

내 아내가 공효진
공효진이 내 아내

그럴 리가 없지만

피 안 섞인 내 말보다
한 몸이던 니 말이니

마뜩치는 않지만

큰숨쉬며 끄덕끄덕
크고 넓은 너의 맘에

하나만 더 물어보자

아빠한텐 할 말 없니

아내가 둘째의 유치원 공개수업을 참관한 날.
아이들이 엄마 닮은꼴 연예인 사진을 고르는 시간이었다며-
공효진 사진을 집에 갖고와선 좋아라하며 나한테 들이밀었다.
아들이 인격과 시력에 심각한 문제가 있단 점을 인지하고, 안경을 맞추러 가야하나 싶었다.
하지만, 최종 결정은 아빠 닮은 연예인은 누군지도 물어보고 내려야겠다.
개인적으론, 아빠의 인성에 주목해주면 좋겠다- 싶었다.

12월

부부의 과자봉지

과자 하날 뜯어도

위로 뜯자는 남편
옆을 뜯자는 아내

남으면 어쩌냐는 남편
남을 일 있겠냐는 아내

뜯긴 봉지는 붙지 않아도
뜯고 붙고 남은 우리 사이

그렇게 10년
아직도 10년

10년 넘게 같이 지냈지만
여전히 다르고, 앞으로도 붙지 않은 채,
이대로 쭉 가겠지.
둘이 서로 안 붙어있는 게 중요한가-
둘다 과자 뜯어서 먹이려고 했다는 게 중요하지

12월

이별할 준비

엄마가 그 때 했던
- 엄마 곧 갈게
- 엄마 안 아파
- 엄마 괜찮아
나를 위한 거짓말

오늘은 엄마에게
- 엄마 곧 집에 가요
- 엄마 안 아플 거야
- 엄마 괜찮을 거야
또 날 위한 거짓말

아직 준비가 안 된
나를 위한 거짓말

외할머니가 다시 입원하셨다. 아마, 어쩌면, 다신 당신이 머무시던 곳으로 돌아가시지 못할 거 같다.
젊은 날, 새벽부터 밤늦게까지 밭에서 일하시다, 한밤에 돌아오셔서 길쌈 매셨다던 외할머니.
아이들이 '엄마는 언제 잠을 자나' 궁금할만큼 밤낮없이 성실하게 일하셨다던 외할머니가,
이제는 아무 일도 못하시고, 병상에 힘없이 누워 계신다.
아마, 딸과 아들은 일만 하는 엄마가 원망스럽고 돌아오는 밤길에 다칠까, 아플까 봐 걱정했겠지.
그러면 외할머니는 아마, 엄마 이제 곧 갈게, 엄마는 안 아파, 엄마는 괜찮아-라고 답했겠지.
그건 아마- 어린 딸과 아들을 위한 외할머니의 거짓말.

이제는 병상에 힘없이 누워있는 외할머니가, 언제쯤 집에 돌아갈 수 있느냐 딸에게 물으시면,
이제는 그 딸이 엄마에게, 엄마 이제 곧 집에 간대, 엄마 안 아프게 될 거래, 엄마 괜찮을 거래-
이젠 아마- 아직 엄마를 보낼 준비가 안 된, 딸의 거짓말.
이번에도 역시, 나를 위한 거짓말.

헌정시 ―――――― 늘 견뎌주시고 응원해주시는 아랫집 어르신들께 헌정함

콩이 자라는 땅

깊은 땅속 아들 콩
한밤까지 콩콩콩

밝은 아침 따님 콩
발구르며 콩콩콩

밤낮없는 발울림
낮밤없이 울려도

우리 예쁜 아기콩
어서어서 자라렴
무럭무럭 자라렴

깊은 땅 속 울림이
맘속 깊이 울려요

오래오래 울려요

복(福)의 최고봉은 인복(人福)이라고 생각한다.
애 키우는 집에선
가족복 다음으로 중요한 것이 '아랫집 복'이다.
그 어렵다는 아랫집 복, 여기에 있다.
밤낮없이 콩콩대는 아이들의 발소리를 견뎌주시고,
우리 부부의 육아를 응원해주시는 아랫집 사모님께서
둘째와 셋째에게 과자 사먹으라며 용돈까지 주셨다.

콩은 저혼자 자라지 않는다.
품어주고 견뎌주는 땅에 안겨서 자란다.
콩의 울림을 견디는, 땅의 깊은 울림이
우리 부부의 마음을 오래 오래 울린다.

고맙습니다, 어르신.

헌정시 — 2024년에 은퇴하시는 큰삼촌께 헌정함

여기까지
나 있는 길을 따라

여기부터
따로 난 길을 걸어

비로소 길이 된다
이제야 내가 된다

잘 있거라, 옛길
난 새길로 간다

2024년 2월, 35년여간의 교직 생활을 마친 삼촌께서 퇴직하신다.
익숙했던 곳과, 거기서 만난 인연들과, 우러러 보던 눈짓들에서 벗어나
이제 더이상 '나 있는' 길만 걸어야 하는 '선생님'에서 벗어나
모르는 건 모른다고.
어려운 건 어렵다고 태연하게 말하며, 기분 좋게 '나의 길'을 걸어가실
삼촌의 새 걸음을 응원합니다.

헌정시 ——— 2023년 둘째의 담임 선생님, 안혜정 선생님께 헌정함.

노래가 꽃피는 교실

꽁꽁 다문 꽃
꾹꾹 숙인 꽃

여기 모여라
모여 부르자

나의 맘을 울리는
너희들의 메아리

노래꽃을 피우는
우리들의 멜로디

둘째의 유치원 담임 선생님, 안혜정 선생님.
노래로 아이들의 마음을 어루만지고 모으시는 분.
입을 꽁꽁 닫고 있던 아이들도.
부끄러워 고개 꾹꾹 숙이고 있던 아이들도
함께 모여 부르는 노래로 꽃을 피우시는 분.
고맙습니다 선생님.
아이의 마음에 심어주신 노래의 씨앗,
아이의 앞길을 밝히는 빛이 되도록
저희가 물주고 햇볕주며 돌보겠습니다.

헌정시 ____________ 올해도 아이들의 약을 조제해주신 뉴현대약국 식구들께 헌정함

그 댁 약은 맛있었다

마음 녹인 그 약은
섞어 먹는 그 약은
냉장보관 그 약은

따뜻하고 맛있다
달달하게 맛있다

눈물나게 맛있다

아이들이 아플 때마다 정성껏 약을 조제해주시고
부모의 아픔에도 늘 함께 공감해주시는
뉴현대약국 식구들 덕분에 올해도 잘 버텼습니다.
2024년에도 잘 부탁드립니다.

제2화 기도와 감사

김화랑

첫 번째

부모님을 위한 기도

하나님, 아버지

밀양에 계시는 부모님께서 교회에 나가실 마음을 주심에 감사합니다. 이제 믿음의 첫걸음을 내딛으십니다. 그 발걸음을 붙잡아 주시고 축복해주세요. 주님께서 주시는 평안과 은혜를 함께 누리기를 원합니다. 주경이, 재경이, 경찬이와 함께 예배드리고 천국을 소망할 수 있기를 원합니다. 주 예수를 믿으라 그리하면 너와 네 집이 구원을 얻으리라고 하신 말씀을 믿습니다.

죄 많은 저를 구원해주신 우리 주 예수 그리스도 이름으로
기도합니다.

두 번째

만남을 위한 기도

하나님, 아버지

3월 새 학년. 새 학기를 앞두고 있습니다. 주경이는 4학년, 재경이는 3학년이 되고 경찬이는 천사 어린이집에 다닐 예정입니다. 지금까지 지켜주심에 감사드리며 앞으로도 지켜주실 것을 믿습니다.

선생님, 친구들과의 만남을 축복해주시고 선한 만남이 될 수 있기를 원합니다. 먼저 우리 아이들이 좋은 제자, 친구가 될 수 있기를 원합니다. 무엇보다 만남을 통해 하나님께 영광을 돌리고, 하나님을 전하는 믿음의 자녀가 될 수 있기를 원합니다.

모든 만남을 주관하시는 우리 주 예수 그리스도 이름으로
기도합니다.

세 번째

돌봄을 위한 기도

하나님, 아버지

주경이, 재경이가 경찬이를 잘 도와주고 챙겨주는 마음을 주심에 감사드립니다. 속상한 일이 있으면 달래주고, 어린이집에서 집으로 데려와주고, 책을 읽어주고, 숫자를 알려주는 마음을 주심에 감사드립니다. 돌보며 섬기는 과정을 통해 예수님을 닮아갈 수 있기를 원합니다. 그리고 돌보며 섬기는 과정을 통해 하나님의 사랑을 알아갈 수 있기를 원합니다.

약한 자를 돌보며 섬기셨던 우리 주 예수님의 이름으로
기도합니다.

네 번째

예배를 위한 기도

하나님, 아버지

부모님과 함께 예배드릴 수 있게 하심에 감사합니다. 손자, 손녀들과 함께 손잡고 교회에 출석하시고 예배를 드릴 마음을 주심에 감사드립니다. 주 예수를 믿으면 너와 네 집이 구원을 얻으리라고 하신 말씀처럼 온 가정이 믿음으로 천국을 소망할 수 있기를 원합니다.

우리를 구원하신 예수 그리스도 이름으로
기도합니다.

다섯 번째

어머니를 위한 기도

하나님, 아버지

믿음의 발걸음을 시작하시는 어머니를 위해
하나도 모르니 창세기부터 보고 싶다는 어머니를 위해
'하나님, 아버지'라는 말씀에
다 담겨 있는 것 같으시다는 어머니를 위해
예배 시간이 빠르게 지나가며 목사님의 말씀을 메모하셨다고
웃으며 말하시는 어머니를 위해
찬송가가 삶아 온 인생 같아서 참 좋으시다는 어머니를 위해
교회에 나갔더니 불안한 것이 사라지고 편안해지셨다는
어머니를 위해 기도합니다.

세상이 줄 수 없는 평안과 은혜를 주시는
우리 주 예수 그리스도 이름으로
기도합니다.

여섯 번째

아버지를 위한 기도

하나님, 아버지

'네 부모를 공경하라 그리하면 네 하나님 여호와가 네게 준 땅에서 네 생명이 길리라'는 말씀을 생각합니다. 공경하는 마음을 담아 아버님을 위해 기도합니다.

'하나님이 세상을 이처럼 사랑하사 독생자를 주셨으니 이는 그를 믿는 자마다 멸망하지 않고 영생을 얻게 하려 하심이니라'는 말씀을 생각합니다. 예수님을 통해 영생을 주심을 믿으며 아버님을 위해 기도합니다.

'나는 포도나무요 너희는 가지라 그가 내 안에, 내가 그 안에 거하면 사람이 열매를 많이 맺나니 나를 떠나서는 너희가 아무 것도 할 수 없음이라'는 말씀을 생각합니다. 예수님과 늘 동행하기를 바라며 아버님을 위해 기도합니다.

아버님을 주심에 감사드리며 하나님 아버님 안에서 늘 함께 살아가며 천국을 소망하기를 바라며 우리 주 예수 그리스도 이름으로 기도합니다.

일곱 번째

아내를 위한 기도

하나님, 아버지

아내 사랑하기를 그리스도께서 교회를 사랑하시고
교회를 위하여 자신을 주심과 같이하라는
말씀을 생각합니다.

믿음이 없던 저를 기다려준 아내를 생각합니다.
아이들에게 믿음을 심고 밀양에 계시는 부모님께 믿음을 전한
아내를 생각합니다.

가정에서 교회에서 학교에서
주님께서 맡기신 일을 감당하고 있는
아내를 위해 기도합니다.

서로 돕는 베필이 될 수 있기를 원하고
소중하게 아끼며 사랑할 수 있기를 바라며
아내를 위해 기도합니다.

축복의 통로이며 동역자인 아내 박은희 집사를
만나게 해주신 하나님의 사랑과 계획하심에 감사드리며
날 구원하신 우리 주 예수 그리스도 이름으로 기도합니다.

여덟 번째

장모님을 위한 기도

하나님, 아버지

장모님께서 어깨 수술을 받으셨습니다.
힘줄이 끊어지셨습니다. 딸, 사위, 손주들을 돌봐주시느라
몸이 많이 상하셨습니다.

예수님께서 저희를 사랑하시고 희생하신 것처럼
사랑해주신 장모님의 건강을 지켜주시고 회복시켜주시기를
원합니다.

저희가 받은 사랑을 잊지 않고
사랑을 전하기를 원합니다.

감사드리며 우리를 위해 생명을 주신
예수 그리스도 이름으로
기도합니다.

아홉 번째

고난에 대한 기도

하나님, 아버지

지난주는 고난 주간이었습니다. 주경이, 재경이, 경찬이가 감기로 인해 열이 나고 기침을 많이 했습니다. 주님의 십자가와 비할 수는 없지만 고난에 대해 생각해 볼 수 있는 귀한 시간이었습니다.

'자녀이면 또한 상속자 곧 하나님의 상속자요 그리스도와 함께 영광을 받기 위하여 고난도 함께 받아야 할 것이니라'고 하신 말씀을 생각합니다.

'하나님의 자녀, 상속자'라 하신 말씀을 생각합니다. 영광과 고난을 함께 누리고 감당해야 함을 생각합니다. 고난이 단지 고난이 아님을 생각합니다.

고난 주간을 통해 예수님의 사랑과 하나님의 은혜로 조금 더 생각하고 느낄 수 있음에 감사드리며 이 모든 것을 우리를 위해 십자가 지신 예수 그리스도 이름으로 기도합니다.

열 번째

이사에 대한 감사

하나님, 아버지

밀양에 계신 부모님께서
함께 할 수 있게 해주심을 감사합니다.
그토록 많이 오던 비가 그치고
이사 오시던 날 맑은 날을 주심에 감사합니다.
구미에서 원하시던 집이 없어 기차를 타고
밀양으로 내려가시던 중 기차가 1시간 이상 연착되어
하루 주무신 다음 날 보셨던 첫 번째 집으로 계약하게 하심에
감사합니다.
밀양의 집을 내어 놓은지 하루 만에
원하는 가격으로 팔리게 하심에 감사합니다.
지난해 아프셔서 더 늦기 전에
손주들과 함께 교회 가고 싶다는
마음을 주심에 감사합니다.

약한 것을 통해 강함 주시고
합력하여 선을 이루시는 주님
모든 것을 예비하시고 준비하신
우리 주님은 사랑과 은혜에 감사드립니다.

열두 번째

돌봐주심에 대한 감사

하나님, 아버지

부모님께서 같은 동네로
이사 오게 하심에 감사합니다.
매일 얼굴을 볼 수 있게 하심에
감사합니다.

부모님께서 경찬이 어린이집
오갈 때 챙겨주심에 감사합니다.
주경이, 재경이 학교 마치고
올 때 간식과 따뜻한 저녁을 챙겨주심에
감사합니다.

부모님의 사랑을 통해
하나님의 사랑을 생각나게 해주심에
감사합니다.

모든 순간 모든 것이
하나님의 은혜임을 알게 해주심에
감사합니다.

열세 번째

동네에 대한 감사

하나님 아버지

감사합니다.
부모님께서 이사 오시고
이곳을 좋아하게 하심에
감사합니다.

산책길이 있고 나무가 있고
시장이 가까이 있고
병원이 가까이 있음에
감사합니다.

부모님 덕분에 이곳을
더욱 사랑하게 하심에
감사합니다.

하나님께서 만드신
세상을 더욱 사랑하게 하심에
감사합니다.

열네 번째

자전거에 대한 감사

하나님 아버지

손주를 위해 자전거 안장을 다신 아버님이 계심에
감사합니다.

한 번이라도 좋으니 손주를 뒤에 태우고
달리고 싶다시던 아버님이 계심에
감사합니다.

아버님께서 같은 동네로 이사 오셔서
매일 손주를 몇 번이나 태울 수 있게 허락하심에
감사합니다.

경찬이를 태우고 달리시는 아버님을 보며
저도 뒤에 함께 타고 있는 것 같음에
감사합니다.

손주를 사랑하시는 아버지를 통해
하나님의 사랑을 보여주심에
감사합니다.

오늘도 자전거는 동네를 달립니다.
하나님의 사랑을 싣고 달립니다.
감사합니다.

열다섯 번째

텃밭에 대한 감사

하나님 아버지

동네 사람들에게 텃밭을 빌려주신 분이 계심에
감사합니다.

걸어서 갈 수 있는 곳에 자연을 느낄 수 있게 해주심에
감사합니다.

채소도 나눠주시고 알게 모르게 돕는 이웃들을 주심에
감사합니다.

주경, 재경, 경찬이와 함께 물을 주며 함께 기도하게 하심에
감사합니다.

아버님, 어머님 모시고 고구마 줄기, 고추, 가지 등을
함께 추수할 수 있음에
감사합니다.

무엇보다 생명을 만드시고 자라게 하시는
하나님의 사랑을 알아가게 하심에
감사합니다.

책을 닫아요

개인적으로 23년은 감사한 일이 참 많은 해입니다.

2월, 밀양에 계시는 부모님께서 교회에 나가서 예배드리시기 시작하셨습니다.

7월, 부모님께서 구미로 이사를 오셨습니다. 당신이 사랑하시는 손주 주경이, 재경이, 경찬이와 같은 동네에 살게 되셨습니다.

부모님께서 오시자 저에게는 이곳이 고향이 되었습니다. 부모님과 매주 함께 예배를 드리며 함께 천국을 소망하게 되었습니다.

부모님과 저희 부부와 아이들을 하나님의 계획에 따라 하나님의 때에 따라 가장 좋은 길로 인도해주심을 믿습니다.

더 늦기 전에 손주들과 함께 교회에 가고 싶다는 마음을 주신 하나님께 감사드리며 부족한 이 글을 읽어주시는 모든 분들에게 주님께서 주시는 평안과 은혜가 가득하시기를 기원합니다.

- '제2화 기도와 감사'를 맡은 김화랑 쓰다